THE USBORNE

FIRST THOUSAND WORDS

IN HEBREW

With easy pronunciation guide

Heather Amery

Illustrated by Stephen Cartwright

Editor: Lisa Watts; Designer (revised edition): Andy Griffin

Hebrew typesetting and translation by y2k translations and Abraxis

Hebrew language consultant: Ronit Chacham

On every double page with pictures,
there is a little yellow duck to look for.
Can you find it?

About this book

This book provides a fun and engaging way for beginners to learn Hebrew. On most of the pages, large, colorful panoramic scenes are surrounded with small pictures labeled with their names in Hebrew.

Saying the words

Each Hebrew word is also written in Roman letters, to show you how to pronounce it. Reading the words while looking at the pictures will help you remember them, and you can test yourself by looking for and naming the objects in the panoramic scenes. You can even practice forming simple sentences to talk about the pictures.

Hebrew alphabet

At the back of the book there is a guide to the Hebrew alphabet and a list of all the Hebrew words with their pronunciation guides and meanings in English. Hebrew is written from right to left and there are several sounds for which there are no equivalents in English. The pronunciation guides will help you, but the best way to learn how to say the words is to listen to a native Hebrew speaker.

בַּבַּיִת

ba-ba'yit

מִטָּה
mita

אַמְבַּטְיָה
ambatya

סַבּוֹן
sabon

בֶּרֶז
berez

נְיָר טוֹאָלֶט
neyar tou'alet

מִבְרֶשֶׁת שִׁנַּיִם
mivreshet shina'yim

מַיִם
ma'yim

אַסְלָה
aslah

ספוג
sfog

סְפוֹג
sfog

כִּיּוֹר
kee'yor

מִקְלַחַת
miklachat

מַגֶּבֶת
ma'gevet

חֲדַר אַמְבַּטְיָה
chadar ambatya

חֲדַר אוֹרְחִים
chadar orchim

מִשְׁחַת שִׁנַּיִם
mish'chat shina'yim

רַדְיוֹ
radio

כָּרִית
karit

תַּקְלִיטוֹר
taklitor

שָׁטִיחַ
shati'yach

סַפָּה
sapah

4

כִּסֵּא
kis'eh

שְׂמִיכָה
smeecha

מַסְרֵק
masrek

סָדִין
sadin

מַרְבַד
marvad

אֲרוֹן בְּגָדִים
aron bgadim

כַּר
kar

שִׁדָּה
shida

מַרְאָה
mar'ah

מִבְרֶשֶׁת שֵׂעָר
mivreshet se'ar

מְנוֹרָה
menorah

חֲדַר שֵׁנָה
chadar shena

תְּמוּנוֹת
tmoonot

מִתְלֶה
mit'le

טֶלֶפוֹן
telefon

כְּנִיסָה
kni'sa

רַדְיָאטוֹר
radi'yator

קַלֶּטֶת וִידֵאוֹ
kaletet video

עִתּוֹן
iton

שֻׁלְחָן
shoolchan

מִכְתָּבִים
michtavim

מַדְרֵגוֹת
madregot

5

הַמִּטְבָּח

ha-mitbach

מְקָרֵר
mekarer

כּוֹסוֹת
kosot

שָׁעוֹן
sha'on

שְׁרַפְרַף
shrafraf

כַּפִּיּוֹת
kapi'yot

מֶתֶג
meteg

אַבְקַת כְּבִיסָה
avkat kvisa

מַפְתֵּחַ
mafte'ach

דֶּלֶת
delet

כִּיּוֹר
kee'yor

שׁוֹאֵב אָבָק
sho'ev avak

סִירֵי בִּשּׁוּל
siray bishool

מַזְלְגוֹת
mazlegot

סִינָר
sinar

קֶרֶשׁ גִּהוּץ
keresh geehootz

אַשְׁפָּה
ashpa

6

קוּמְקוּם
oomkoom

סַכִּינִים
sakinim

מַקֵּל סְחָבָה
makel schava

מַטְלִית אָבָק
matleet avak

אֲרִיחִים
areechim

מַטְאֲטֵא
matateh

מְכוֹנַת כְּבִיסָה
mechonat kvisa

כַּף אַשְׁפָּה
kaf ashpa

מְגֵרָה
megera

תַּחְתִּיּוֹת
tachtiyot

מַחֲבַת
machavat

תַּנּוּר בִּשּׁוּל
tanoor bishool

כַּפּוֹת
kapot

צַלָּחוֹת
tzalachot

מַגְהֵץ
mag'hetz

אָרוֹן
aron

מַגֶּבֶת מִטְבָּח
magevet mitbach

סְפָלִים
sfalim

גַּפְרוּרִים
gafroorim

מִבְרֶשֶׁת
mivreshet

קְעָרוֹת
ke'arot

הַגִּנָּה

ha-gina

מְרִיצָה
meritza

כַּוֶּרֶת
kaveret

חִלָּזוֹן
chilazon

לְבֵנִים
levenim

יוֹנָה
yona

אֵת
et

פָּרַת מֹשֶׁה רַבֵּנוּ
parat mosheh rabenoo

פַּח אַשְׁפָּה
pach ashpa

זְרָעִים
zra'im

צְרִיף
tzreef

מַזְלֵף
mazlef

תּוֹלַעַת
tola'at

פְּרָחִים
prachim

מַמְטֵרָה
mamterah

מַעְדֵּר
ma'ader

צִרְעָה
tzir'ah

8

דְּבוֹרָה
dvora

כַּף לַגִּנָּה
kaf lagina

עֶצֶם
etzem

גָּדֵר חַיָּה
gader cha'ya

קִלְשׁוֹן
kilshon

מַכְסֵחָה
maksecha

שְׁבִיל
shvil

עָלִים
alim

עֵץ
etz

עָשָׁן
ashan

זַחַל
zachal

מַגְרֵפָה
magrefa

קַן צִפּוֹר
kan tzipor

מַקְלוֹת
maklot

חֲמָמָה
chamama

עֶשֶׂב
esev

עֶגְלַת תִּינוֹק
eglat tinok

סֻלָּם
soolam

מְדוּרָה
medoora

צִנּוֹר הַשְׁקָיָה
tzinor hashkaya

9

בֵּית הַמְּלָאכָה

bet ha-mlacha

בְּרָגִים
bragim

מֶלְחָצַיִם
melchatza'yim

נְיָר זְכוּכִית
neyar zchoochit

מַקְדֵּחָה
makdecha

סֻלָּם
soolam

מַסּוֹר
masor

נְסֹרֶת
nesoret

לוּחַ שָׁנָה
loo'ach shana

תֵּבַת כֵּלִים
tevat kelim

מַבְרֵג
mavreg

קֶרֶשׁ
keresh

שְׁבָבִים
shvavim

אוֹלָר
olar

נְעָצִים
ne'atzim

עֲכָבִישׁ
akavish

בְּרָגִים גְּדוֹלִים
bragim gdolim

אוּמִים
oomim

קוּרֵי עֲכָבִישׁ
koorey akavish

חָבִית
chavit

זְבוּב
zvoov

גַּרְזֶן
garzen

סֶרֶט מִדָּה
seret mida

פַּטִישׁ
patish

פְּצִירָה
ptzira

קֻפְסַת צֶבַע
koofsat tzeva

מַקְצוּעָה
maktzoo'a

עֲצֵי הַסָּקָה
atzey hasaka

מַסְמֵרִים
masmerim

שֻׁלְחָן עֲבוֹדָה
shoolchan avoda

צִנְצָנוֹת
tzintzanot

11

הָרְחוֹב
ha-rchov

חָנוּת
chanoot

בּוֹר
bor

בֵּית קָפֶה
bet kafeh

אַמְבּוּלַנְס
amboulans

מִדְרָכָה
midracha

אַנְטֶנָה
antenna

אֲרֻבָּה
arooba

גַּג
gag

מַחְפֵּר
machper

בֵּית מָלוֹן
bet malon

אוֹטוֹבּוּס
otoboos

אִישׁ
ish

מְכוֹנִית מִשְׁטָרָה
mechonit mishtara

צִנּוֹרוֹת
tzinorot

מַקְדֵּחָה
makdecha

בֵּית סֵפֶר
bet sefer

מִגְרַשׁ מִשְׂחָקִים
migrash mischakim

12

מוֹנִית
monit

מַעֲבָר חֲצָיָה
ma'avar chatzaya

בֵּית חֲרֹשֶׁת
bet charoshet

מַשָּׂאִית
masa'it

רַמְזוֹר
ramzor

קוֹלְנוֹעַ
kolno'a

מְכוֹנִית מִסְחָרִית
mechonit mischarit

מַכְבֵּשׁ
machbesh

קָרוֹן נִגְרָר
karon nigrar

בַּיִת
ba'yit

שׁוּק
shook

מַדְרֵגוֹת
madregot

אוֹפַנּוֹעַ
ofano'a

דִּירוֹת
dirot

אוֹפַנַּיִם
ofana'yim

מְכוֹנִית כִּבּוּי
mechonit kibooy

שׁוֹטֵר
shoter

מְכוֹנִית
mechonit

אִשָּׁה
isha

פָּנָס רְחוֹב
panas rechov

חֲנוּת הַצַּעֲצוּעִים
chanoot ha-tza'atzoo'im

מַפּוּחִית פֶּה
mapoochit peh

רַכֶּבֶת צַעֲצוּעַ
rakkevet tza'atzoo'a

קֻבִּיּוֹת
koobi'yot

חֲלִילִית
chalilit

רוֹבּוֹט
robot

תֻּפִּים
toopim

מַחְרֹזֶת
machrozet

מַצְלֵמָה
matzlema

חֲרוּזִים
charoozim

בֻּבּוֹת
boobot

גִּיטָרָה
gitara

טַבַּעַת
taba'at

בֵּית בֻּבּוֹת
bet boobot

מַשְׁרוֹקִית
mashrokit

קֻבִּיּוֹת
koobi'yot

טִירָה
tira

צוֹלֶלֶת
tzolelet

חֲצוֹצְרָה
chatzotzra

חִצִּים
chitzim

14

קֶשֶׁת
keshet

מַצְנֵחַ
matzne'ach

סִירָה
sira

צִבְעֵי אִפּוּר
tziv'ey ipoor

מַכְבֵּשׁ
machbesh

מַסֵּכוֹת
massechot

מְכוֹנִית מֵרוֹץ
mechonit merotz

סוּס נַדְנֵדָה
soos nadneda

קֻפַּת חִסָּכוֹן
koopat chisachon

גֻּלּוֹת
goolot

בֻּבּוֹת עַל חוּט
boobot al choot

פְּסַנְתֵּר
psanter

אַנְשֵׁי חָלָל
anshey chalal

עֲגוּרָן
agooran

פְּלַסְטֵלִינָה
plastelina

רוֹבֶה
roveh

חַיָּלֵי עוֹפֶרֶת
cha'yaley oferet

צִבְעֵי מַיִם
tziv'ey ma'yim

טִיל
teel

15

נַדְנֵדוֹת
nadnedot

אַרְגַז חוֹל
argaz chol

פִּיקְנִיק
piknik

עֲפִיפוֹן
afifon

גְּלִידָה
glida

כֶּלֶב
kelev

שַׁעַר
sha'ar

שְׁבִיל
shvil

צְפַרְדֵּעַ
tzfarde'a

מַגְלֵשָׁה
maglesha

הַפָּרק
ha-park

סַפְסָל
safsal

16

רֹאשָׁנִים
roshanim

אֲגַם
agam

גַּלְגִּלִיּוֹת
galgiliyot

שִׂיחַ
si'ach

תִּינוֹק
tinok

סְקֵטְבּוֹרְד
sketbord

אֲדָמָה
adama

עֶגְלַת טִיּוּל
eglat tiyool

נַדְנֵדָה
nadnedah

יְלָדִים
yeladim

תְּלַת-אוֹפַן
tlat ofan

צִפֳּרִים
tziporim

גָּדֵר
gader

כַּדּוּר
kadoor

סִירַת מִפְרָשׂ
sirat mifras

חוּט
choot

שְׁלוּלִית
shloolit

בַּרְוָזוֹנִים
barvazonim

דַּלְגִּית
dalgeet

עֲרוּגַת פְּרָחִים
aroogat prachim

בַּרְבּוּרִים
barboorim

רְצוּעָה לְכֶלֶב
retzoo'ah lechelev

בַּרְוָז
barvaz

עֵצִים
etzim

17

גַּן הַחַיּוֹת
gan ha-cha'yot

פַּנְדָּה
panda

כָּנָף
kanaf

נֶשֶׁר
nesher

סוּס יְאוֹר
soos ye'or

עֲטַלֵּף
atalef

גּוֹרִילָה
gorila

רַגְלֵי חַיָּה
ragley cha'ya

קֶנְגּוּרוּ
kengooroo

קוֹף
kof

קַרְחוֹן
karchon

פִּינְגְּוִין
pingveen

זָנָב
zanav

זְאֵב
ze'ev

תַּנִּין
tanin

דֹּב
dov

נוֹצוֹת
notzot

שַׂקְנַאי
saknay

בַּת יַעֲנָה
bat ya'ana

דּוֹלְפִין
dolfin

אַרְיֵה
aryeh

גּוּרִים
goorim

גִּ'ירָף
jiraf

קַרְנַיִם
karna'yim

גָּמָל
gamal

כֶּלֶב יָם
kelev yam

אַיָּל
ayal

דֹּב לָבָן
dov lavan

צָב
tzav

חֵדֶק
chedek

קַרְנַף
karnaf

תְּאוֹ
te'o

פִּיל
pil

בּוֹנֶה
boneh

עֵז
ez

זֶבְּרָה
zebra

נָחָשׁ
nachash

כָּרִישׁ
karish

לִוְיָתָן
livayatan

טִיגְרִיס
tigris

נָמֵר
namer

הַנְּסִיעָה
ha-nsi'a

פַּסֵּי רַכֶּבֶת
passey rakkevet

קַטָּר
katar

מְשַׁכְּכֵי זַעֲזוּעִים
meshakchey za'azoo'im

קְרוֹנוֹת
kronot

נֶהָג קַטָּר
nahag katar

רַכֶּבֶת מַשָּׂא
rakkevet massa

רָצִיף
ratzif

כַּרְטִיסָנִית
kartisanit

מִזְוָדָה
mizvada

מְכוֹנַת כַּרְטִיסִים
mechonat kartisim

מָסוֹק
masok

תַּחֲנַת הָרַכֶּבֶת
tachanat ha-rakkevet

הַמּוּסָךְ
ha-moosach

רַמְזוֹר
ramzor

תַּרְמִיל
tarmil

פָּנָסִים קִדְמִיִּים
panasim kidmi'yim

מָנוֹעַ
mano'a

גַּלְגַּל
galgal

מַצְבֵּר
matzber

מָטוֹס
matos

דַּיֶּלֶת
da'yelet

מַסְלוּל
maslool

מִגְדַּל פִּקּוּחַ
migdal pikoo'ach

נְמַל הַתְּעוּפָה
n'mal ha-te'oofa

דַּיָּל
da'yal

טַיָּס
ta'yas

רְחִיצַת מְכוֹנִיּוֹת
rechitzat mechoniyot

תָּא מִטְעָן
ta mit'an

דֶּלֶק
delek

גּוֹרֵר
gorer

רְחִיצַת מְכוֹנִיּוֹת
rechitzat mechoniyot

מְכָלִית דֶּלֶק
mechalit delek

מַפְתֵּחַ בְּרָגִים
mafte'ach bragim

צְמִיג
tzamig

מִכְסֶה מָנוֹעַ
michseh mano'a

שֶׁמֶן
shemen

מַשְׁאֵבַת דֶּלֶק
mash'evat delek

21

טַחֲנַת רוּחַ
tachanat roo'ach

כַּדוּר פּוֹרֵחַ
kadoor po're'ach

פַּרְפַּר
parpar

לְטָאָה
leta'ah

אֲבָנִים
avanim

שׁוּעָל
shoo'al

נַחַל
nachal

תַּמְרוּר
tamroor

קִפּוֹד
kipod

דֶּלֶת סֶכֶר
delet secher

הַכְּפָר

ha-kfar

הַר
har

סְנָאִי
sna'ee

יַעַר
ya'ar

גִּירִית
girit

נָהָר
nahar

כְּבִישׁ
kvish

אֹהָלִים
ohalim

תְּעָלָה
te'ala

בּוּלֵי עֵץ
boolay etz

כְּפָר
kfar

עָשׁ
ash

גֶּשֶׁר
gesher

דּוֹבְרָה
dovra

מַפַּל מַיִם
mappal ma'yim

יַנְשׁוּף
yanshoof

מִנְהָרָה
minhara

גּוּרֵי שׁוּעָל
gooray shoo'al

חֲפַרְפֶּרֶת
chafarperet

דַּיָּג
da'yag

גִּבְעָה
giv'a

סְלָעִים
sla'im

קַרְפָּד
karpad

רַכֶּבֶת
rakkevet

קָרָוָן
karavan

23

עֲרֵמַת שַׁחַת
arremat shachat

כֶּלֶב רוֹעִים
kelev ro'im

בַּרְוָזִים
barvazim

טְלָיִים
tla'yim

בְּרֵכָה
brecha

אֶפְרוֹחִים
efrochim

עֲלִיַת גַּג
aliyat gag

חֲזִירִיָה
chaziriya

פַּר
par

בַּרְוְזוֹנִים
barvazonim

לוּל
lool

טְרַקְטוֹר
traktor

הַמֶּשֶׁק

ha-meshek

תַּרְנְגוֹל
tarnegol

אֲוָזִים
avazim

מְכָלִית חָלָב
mechalit chalav

אָסָם
asam

בֹּץ
botz

עֲגָלָה
agala

אִכָּר
ikar

שָׂדֶה
sadeh

תַּרְנְגוֹלוֹת
tarnegolot

עֵגֶל
egel

גָּדֵר
gader

אֻכָּף
ookaf

רֶפֶת
refet

פָּרָה
para

מַחֲרֵשָׁה
macharesha

מַטָּע
mata

אֻרְוָה
oorva

חֲזִירוֹנִים
chazironim

רוֹעַת צֹאן
ro'at tzon

תַּרְנְגוֹלֵי הֹדוּ
tarnegolay hodoo

דַּחְלִיל
dachlil

בֵּית הָאִכָּר
bet ha-ikar

שַׁחַת
shachat

כְּבָשִׂים
kvasim

חֲבִילוֹת קַשׁ
chavilot kash

סוּס
soos

חֲזִירִים
chazirim

25

שְׂפַת הַיָּם

sfat ha-yam

צֶדֶף
tzedef

סִירַת מִפְרָשׂ
sirat mifras

יָם
yam

מָשׁוֹט
mashot

מִגְדָּלוֹר
migdalor

אֵת
et

דְּלִי
dlee

כּוֹכַב יָם
kochav yam

אַרְמוֹן חוֹל
armon chol

סוֹכֵךְ
sochech

דֶּגֶל
degel

מַלָּח
malach

סַרְטָן
sartan

שַׁחַף
shachaf

אִי
ee

סִירַת מָנוֹעַ
sirat mano'a

סְקִי מַיִם
ski ma'yim

גַּלִּים
galim

כּוֹבַע שֶׁמֶשׁ
kova shemesh

צוּק
tzook

אֳנִיָּה
oni'ya

דּוּגִית
doogit

חֶבֶל
chevel

חֲלוּקֵי אֶבֶן
chalookey even

אֲצוֹת
atzot

רֶשֶׁת
reshet

מָשׁוֹט
mashot

סִירַת דַּיִג
sirat da'yig

סְנַפִּירִים
snapirim

חֲמוֹר
chamor

דָּג
dag

בֶּגֶד יָם
beged yam

מְכָלִית נֵפְט
mechalit neft

חוֹף
chof

סִירַת מְשׁוֹטִים
sirat meshotim

כִּסֵּא נֹחַ
kiseh no'ach

27

מִסְפָּרַיִם
mispara'yim

$$2 + 2 = 4$$
$$3 + 2 = 5$$

חֶשְׁבּוֹן
cheshbon

מַחַק
machak

סַרְגֵּל
sargel

תַּצְלוּמִים
tatzloomim

עֵטֵי סִמּוּן
etey simoon

נְעָצִים
ne'atzim

צְבָעִים
tzvayim

יֶלֶד
yeled

עִפָּרוֹן
iparon

בְּבֵית הַסֵּפֶר

be-veyt ha-sefer

לוּחַ
loo'ach

שֻׁלְחַן כְּתִיבָה
shoolchan ktiva

סְפָרִים
sfarim

עֵט
et

דֶּבֶק
devek

גִּיר
geer

רִשּׁוּם
rishoom

סַל נְיָרוֹת
sal neyarot

מוֹרָה
mora

קֻפְסָה
koofsa

מַפָּה
mapa

מִכְחוֹל
michchol

תִּקְרָה
tikra

קִיר
kir

רִצְפָּה
ritzpah

מַחְבֶּרֶת
machberet

אָלֶפְבֵּית
alef bet

תָּג
tag

אַקְוַרְיוּם
akvar'yoom

נְיָר
neyar

וִילוֹן
vilon

יָדִית
yadit

צֶמַח
tzemach

גְּלוֹבּוּס
globoos

יַלְדָּה
yalda

צִבְעֵי שַׁעֲוָה
tzive'y sha'ava

מְנוֹרָה
menorah

לוּחַ
loo'ach

29

אָח
ach

צֶמֶר גֶּפֶן
tzemer gefen

תְּרוּפָה
troofa

מַעֲלִית
ma'alit

חָלוּק
chalook

קַבַּיִם
kaba'yim

גְּלוּלוֹת
gloolot

מַגָּשׁ
magash

שְׁעוֹן יָד
sh'on yad

מַדְחֹם
madchom

וִילוֹן
vilon

בְּבֵית הַחוֹלִים
be-veyt ha-cholim

גֶּבֶס
geves

תַּחְבֹּשֶׁת
tachboshet

כִּסֵּא גַלְגַּלִּים
kiseh galgalim

פָּזֶל
pazel

רוֹפְאָה
rof'ah

דֻּבּוֹן
doobon

תַּפּוּחַ
tapoo'ach

מַזְרֵק
mazrek

30

רוֹפֵא
rofeh

נַעֲלֵי בַּיִת
na'alay ba'yit

מַחְשֵׁב
machshev

אֶגֶד מִדַבֵּק
eged midabek

בָּנָנָה
banana

עֲנָבִים
anavim

סַלְסִלָה
salsila

צַעֲצוּעִים
tza'atzoo'im

אַגָס
agas

כַּרְטִיסֵי בְּרָכָה
kartisey bracha

חִתּוּל
chitool

מַקֵּל הֲלִיכָה
makel halicha

חֲדַר הַמְתָּנָה
chadar hamtana

טֶלֶוִיזְיָה eleviziya

כֻּתֹּנֶת לַיְלָה
ktonet lyla

פִּיגַ'מָה
peejama

תַּפּוּז
tapooz

מִמְחֲטוֹת נְיָר
mimchatot neyar

קוֹמִיקְס
komiks

31

הַמְסִבָּה
ha-mesiba

בָּלּוֹן
balon

שׁוֹקוֹלָד
shokolad

סֻכָּרִיָּה
sookarya

חַלּוֹן
chalon

זִיקוּקִין דִּי נוּר
zikookin di noor

סֶרֶט
seret

עוּגָה
ooga

מַתָּנוֹת
matanot

קַשִּׁית
kashit

נֵר
ner

שַׁרְשְׁרוֹת נְיָר
sharshera'ot neyar

צַעֲצוּעִים
tza'atzoo'im

קְלֶמֶנְטִינָה
klementina

נַקְנִיק
naknik

קַלֶטֶת
kaletet

נַקְנִיקִיָּה
naknikiya

תַּפּוּצִ׳יפְּס
tapoochips

תַּחְפּוֹשׂוֹת
tachposot

דֻּבְדְּבָן
doovdevan

מִיץ פֵּרוֹת
mitz perot

פֶּטֶל
petel

תּוּת שָׂדֶה
toot sadeh

נוּרָה
noora

כָּרִיךְ
karich

חֶמְאָה
chem'ah

בִּיסְקְוִיט
biskvit

גְּבִינָה
gvina

לֶחֶם
lechem

מַפַּת שֻׁלְחָן
mapat shoolchan

33

הַחֲנוּת

ha-chanoot

אֶשְׁכּוֹלִית
eshkolit

גֶּזֶר
gezer

כְּרוּבִית
kroovit

כְּרֵשָׁה
kresha

פִּטְרִיָּה
pitri'ya

מְלָפְפוֹן
melaffefon

לִימוֹן
leemon

כַּרְפַּס
karpas

מִשְׁמֵשׁ
mishmesh

מֶלוֹן
melon

סַל קְנִיּוֹת
sal kni'yot

גְּבִינָה gvina

פֵּרוֹת וְיְרָקוֹת
perot ve'yerakot

בָּצָל
batzal

כְּרוּב
kroov

אֲפַרְסֵק
afarsek

חַסָּה
chasa

אֲפוּנָה
afoona

עַגְבָנִיָּה
agvani'ya

34

בֵּיצִים
baytzim

שְׁזִיף
shezif

קֶמַח
kemach

מֹאזְנַיִם
mozna'yim

צִנְצָנוֹת
tzintzanot

בָּשָׂר
basar

אֲנָנָס
ananas

יוֹגוּרְט
yogoort

סַל
sal

בַּקְבּוּקִים
bakbookim

תִּיק
tik

אַרְנָק
arnak

כֶּסֶף
kesef

קֻפְסָאוֹת שְׁמוּרִים
koofsa'ot shimoorim

עֲגָלַת קְנִיּוֹת
eglat kni'yot

תַּפּוּחֵי אֲדָמָה
tapoochey adama

תֶּרֶד
tered

שְׁעוּעִית
she'oo'it

קֻפָּה
koopa

דְּלַעַת
dla'at

מָזוֹן
mazon

אֲרוּחַת בֹּקֶר
aroochat boker

אֲרוּחַת צָהֳרַיִם
aroochat tzo'hora'yim

בֵּיצָה רַכָּה
baytza raka

לֶחֶם קָלוּי
lechem kaloo'y

רִבָּה
reeba

קָפֶה
kafeh

בֵּיצִיָּה
bay'tzi'ya

שַׁמֶּנֶת
shamenet

חָלָב
chalav

דְּגָנִים
deganim

שׁוֹקוֹ חַם
shoko cham

סֻכָּר
sookar

תֵּה
te

דְּבַשׁ
dvash

מֶלַח
melach

פִּלְפֵּל
pilpel

קוּמְקוּם תֵּה
koomkoom te

חֲבִיתִיּוֹת
chaviti'yot

לַחְמָנִיּוֹת
lachmani'yot

אֲרוּחַת עֶרֶב
aroochat erev

בָּשָׂר
basar

מָרָק
marak

חֲבִיתָה
chavita

סָלָט
salat

מַקְלוֹת אֲכִילָה סִינְיִּים
maklot achila sini'eem

הַמְבּוּרְגֶּר
hamboorger

עוֹף
of

אֹרֶז
orez

ר'טֶב
rotev

סְפַּגֶּטִי
spaggetti

מְחִית תַּפּוּחֵי אֲדָמָה
mechit tapoochey adama

פִּיצָה
pitza

טְגָנִים
tooganim

קִנּוּחִים
kinoochim

אֲנִי
anee

שֵׂעָר
se'ar

רֹאשׁ
rosh

פָּנִים
panim

זְרוֹעַ
zro'a

מַרְפֵּק
marpek

בֶּטֶן
beten

אֶצְבְּעוֹת רַגְלַיִם
etzbe'ot ragla'yim

כַּף רֶגֶל
kaf regel

רֶגֶל
regel

בֶּרֶךְ
berech

גַּבָּה
gaba

עַיִן
a'yin

אַף
af

לֶחִי
lechi

פֶּה
peh

שְׂפָתַיִם
sfata'yim

שִׁנַּיִם
shina'yim

לָשׁוֹן
lashon

סַנְטֵר
santer

אׇזְנַיִם
ozna'yim

צַוָּאר
tzavar

כְּתֵפַיִם
ktefa'yim

חָזֶה
chazeh

גַּב
gav

יַשְׁבָן
yashvan

כַּף יָד
kaf yad

אֲגוּדָל
agoodal

אֶצְבָּעוֹת
etzba'ot

38

הַבְּגָדִים שֶׁלִי

ha-bgadim shelee

גַּרְבַּיִם
garba'yim

תַּחְתּוֹנִים
tachtonim

גּוּפִיָּה
goofi'ya

מִכְנָסַיִם
michnasa'yim

מִכְנְסֵי גִ'ינְס
michnasay jeans

חֻלְצַת טְרִיקוֹ
chooltzat triko

חֲצָאִית
chatza'eet

חֻלְצָה
chooltza

עֲנִיבָה
aniva

מִכְנָסַיִם קְצָרִים
michnasa'yim ketzarim

גַּרְבּוֹנִים
garbonim

שִׂמְלָה
simla

סְוֶדֶר
sveder

מֵיזַע
me'eeza

אֲפֻדָּה
afooda

צָעִיף
tza'if

מִמְחָטָה
mimchata

נַעֲלֵי הִתְעַמְּלוּת
na'aley hit'amloot

נַעֲלַיִם
na'ala'yim

סַנְדָּלִים
sandalim

מַגָּפַיִם
magafa'yim

כְּפָפוֹת
kfafot

חֲגוֹרָה
chagora

אַבְזָם
avzam

רוֹכְסָן
roochsan

שְׂרוֹךְ
sroch

כַּפְתּוֹרִים
kaftorim

לוּלָאוֹת
loola'ot

כִּיסִים
kisim

מְעִיל
me'il

ז'אקֵט
jaket

כּוֹבַע מִצְחִיָּה
kova mitz'cheeya

כּוֹבַע
kova

אֲנָשִׁים
anasheem

שַׂחְקָן
sach'kan

שַׂחְקָנִית
sach'kanit

זַמָּר
zamar

טַבָּח
tabach

רַקְדָנִים
rakdanim

זַמֶּרֶת
zameret

טַיָּס חָלָל
ta'yas chalal

קַצָּב
katzav

שׁוֹטֵר
shoter

שׁוֹטֶרֶת
shoteret

נַגָּר
nagar

כַּבַּאי
kabbai

צַיֶּרֶת
tza'yeret

שׁוֹפֵט
shofet

מְכוֹנַאי
mechonai

מְכוֹנָאִית
mechona'it

40

סַפָּר
sapar

נַהֶגֶת מַשָׂאִית
naheget masa'it

נָהַג אוֹטוֹבּוּס
nahag otoboos

רוֹפְאַת שִׁנַּיִם
rof'at shina'yim

אִישׁ צְפַרְדֵּעַ
ish tzfarde'a

דַּוָּר
davar

צַבָּע
tzaba

אוֹפָה
ofa

מֶלְצַר
meltzar

מֶלְצָרִית
meltzarit

מִשְׁפָּחָה
mishpacha

דּוֹדָה
doda

דּוֹד
dod

סַבָּא
saba

סַבְתָּא
savta

בֵּן
ben

אָח
ach

בַּת
bat

אָחוֹת
achot

אִמָּא
ima

אִשָּׁה
isha

אַבָּא
aba

בַּעַל
ba'al

בֶּן-דּוֹד
ben-dod

41

עֲשִׂיַּת דְּבָרִים
asi'yat dvarim

לִצְחֹק
litzchok

לְחַיֵּךְ
lecha'yech

לִבְכּוֹת
livkot

לַחְשֹׁב
lachshov

לְהַקְשִׁיב
lehakshiv

לִתְפֹּס
litpos

לִזְרֹק
lizrok

לִשְׁבֹּר
lishbor

לְצַיֵּר
letza'yer

לִכְתֹּב
lichtov

לַחְטֹב
lachtov

לִגְזֹר
ligzor

לֶאֱכֹל
le'echol

לְשׂוֹחֵחַ
lesoche'ach

לַחְפֹּר
lachpor

לָשֵׂאת
la'set

לִשְׁתּוֹת
lishtot

לַעֲשׂוֹת
la'asot

לִקְפֹּץ
likpotz

לִזְחֹל
lizchol

לִרְקֹד
lirkod

לְהִתְרַחֵץ
lehitrachetz

לִסְרֹג
lisrog

42

לְשַׂחֵק
lesa'chek

לְהִסְתַּכֵּל
lehistakel

לְטַפֵּס
leta'pes

לָקַחַת
lakachat

לִישֹׁן
lishon

לִתְפֹּר
litpor

לְדַלֵּג
ledaleg

לְחַכּוֹת
lechakot

לְהִתְקוֹטֵט
lehitkotet

לְהִתְחַבֵּא
lehitchabeh

לִקְנוֹת
liknot

לְבַשֵּׁל
levashel

לִקְרֹא
likro

לִדְחֹף
lidchof

לָשִׁיר
lashir

לִנְשֹׁף
linshof

לִמְשֹׁךְ
limshoch

לְטַאטֵא
leta'teh

לִקְטֹף
liktof

לִפֹּל
lipol

לָלֶכֶת
lalechet

לָרוּץ
larootz

לָשֶׁבֶת
lashevet

43

הֲפָכִים
hafachim

רָחוֹק
rachok

קָרוֹב
karov

טוֹב
tov

רַע
ra

עֶלְיוֹן
elyon

קַר
kar

חַם
cham

רָטֹב
ratov

יָבֵשׁ
yavesh

תַּחְתּוֹן
tachton

מְעַל
me'al

מְלֻכְלָךְ
meloochlach

נָקִי
naki

מִתַּחַת
mitachat

שָׁמֵן
shamen

רָזֶה
razeh

פָּתוּחַ
patoo'ach

סָגוּר
sagoor

קָטָן
katan

גָּדוֹל
gadol

מְעַט
me'at

הַרְבֵּה
harbeh

רִאשׁוֹן
ree'shon

אַחֲרוֹן
acharon

שְׂמֹאל
smol

44

בַּחוּץ
bachootz

בִּפְנִים
beefnim

קַל
kal

קָשֶׁה
kasheh

רֵיק
rek

מָלֵא
ma'leh

רַך
rach

מוּצָק
mootzak

חָזִית
chazit

גָּבוֹהַ
gavo'ha

אִטִּי
eetee

מָהִיר
maheer

אָחוֹר
achor

נָמוּךְ
namooch

אָרֹךְ
aroch

קָצָר
katzar

מֵת
met

חַי
chy

חָשׁוּךְ
chashooch

מוּאָר
moo'ar

לְמַעְלָה
lema'ala

יָשָׁן
yashan

יָמִין
yamin

חָדָשׁ
chadash

לְמַטָּה
lemata

45

יָמִים
yamim

יוֹם רִאשׁוֹן
yom rishon

יוֹם חֲמִישִׁי
yom chamishee

שַׁבָּת
shabat

יוֹם שְׁלִישִׁי
yom shlishi

יוֹם רְבִיעִי
yom revi'ee

יוֹם שֵׁנִי
yom sheni

יוֹם שִׁשִּׁי
yom sheeshi

לוּחַ שָׁנָה
loo'ach shana

בֹּקֶר
boker

שֶׁמֶשׁ
shemesh

עֶרֶב
erev

לַיְלָה
lyla

חָלָל
chalal

כּוֹכַב לֶכֶת
kochav leche

סְפִינַת חָלָל
sfeenat chalal

יָרֵחַ
yarre'ach

כּוֹכָב
kochav

טֶלֶסְקוֹפ
teleskop

יְמֵי חַג
yemey chag

יוֹם הֻלֶּדֶת
yom hooledet

כַּרְטִיס בְּרָכָה
kartis bracha

חֻפְשָׁה
choofsha

נֵר
ner

מַתָּנָה
matana

עוּגַת יוֹם הֻלֶּדֶת
oogat yom hooledet

חֲתֻנָּה
chatoona

מַצְלֵמָה
matzlema

שׁוֹשְׁבִינָה
shoshvina

כַּלָּה
kala

חָתָן
chatan

צַלָּם
tzalam

חַג הַמּוֹלָד
chag ha-molad

אַיָּל
ayal

סַנְטָה קְלָאוּס
santa kla'ous

מִזְחֶלֶת
mizchelet

עֵץ אַשּׁוּחַ
etz ashoo'ach

47

מֶזֶג אֲוִיר
mezeg aveer

שֶׁמֶשׁ
shemesh

עֲנָנִים
ananim

שָׁמַיִם
shama'yim

מִטְרִיָּה
mitri'ya

גֶּשֶׁם
geshem

בָּרָק
barak

עֲרָפֶל
arafel

שֶׁלֶג
sheleg

טַל
tal

רוּחַ
roo'ach

עֲרָפֶלִּים
arpilim

כְּפוֹר
kfor

קֶשֶׁת בֶּעָנָן
keshet be'anan

עוֹנוֹת הַשָּׁנָה
onot ha-shana

אָבִיב
aviv

קַיִץ
ka'yitz

סְתָו
stav

חֹרֶף
choref

48

חַיּוֹת שַׁעֲשׁוּעִים
chayot sha'ashoo'im

וֶטֶרִינָר
veterinar

אוֹגֵר
oger

מְלוּנָה
mloona

שַׁרְקָן
sharkan

כֶּלֶב
kelev

תֻּכִּי גַּמָּדִי
tookee gamadi

כְּלַבְלַב
klavlav

תֻּכִּי
tookee

מַקּוֹר
makor

מָזוֹן לִכְלָבִים
mazon lichlavim

קָנָרִי
kanari

אַרְנָב
arnav

כְּלוּב
kloov

חָתוּל
chatool

סַלְסִלָה
sals'ila

עַכְבָּר
achbar

חֲתַלְתּוּל
chataltool

חָלָב
chalav

דְּגֵי זָהָב
dgey zahav

49

סְפּוֹרְט
sport

כַּדּוּרְסַל
kadoorsal

חֲתִירָה
chatira

הַחְלָקָה עַל שֶׁלֶג
hachlaka al sheleg

שַׁיִט מִפְרָשִׂיּוֹת
sheyt mifrasi'yot

גְּלִישַׁת רוּחַ
gleeshat roo'ach

מַחְבֵּט
machbet

קְרִיקֶט
kriket

קָרָטֶה
karateh

טֶנִיס
tenis

פוּטְבּוֹל אָמֶרִיקָאִי
footbol amerika'ee

הִתְעַמְּלוּת
hit'amloot

כַּדּוּר
kadoor

מַחְבֵּט
machbe[t]

חַכָּה
chaka

פִּתָּיוֹן
pita'yon

דַּיִג
da'yig

רַגְבִּי
ragbi

רִקּוּד
rikood

כַּדּוּר בָּסִיס
kadoor bassis

קְפִיצַת רֹאשׁ
kfitzat rosh

בְּרֵכַת שְׂחִיָּה
brechat schi'ya

שְׂחִיָּה
schi'ya

רִיצָה
ritza

קַשָּׁתוֹת
kashatoot

מַטָּרָה
matara

גְּלִישַׁת אֲוִיר
gleeshat aveer

קַסְדָּה
kasda

רִיצָה קַלָּה
ritza kala

רְכִיבָה עַל אוֹפַנַּיִם
recheeva al ofana'yim

טִפּוּס הָרִים
tipoos harim

גִּ'וּדוֹ
judo

סוּס
soos

פּוֹנִי
poni

תָּא
ta

כַּדּוּרֶגֶל
kadooregel

רְכִיבָה עַל סוּסִים
recheeva al soosim

חֲדַר הַלְבָּשָׁה
chadar halbasha

נוֹצִית
notzeet

מַחְלִיקַיִם
machlika'yim

טֶנִיס שֻׁלְחָן
tenis shoolchan

הַחְלָקָה עַל קֶרַח
hachlaka al kerach

מוֹט סְקִי
mot ski

רַכֶּבֶל
rakkevel

מִגְלָשַׁיִם
miglasha'yim

גְּלִישָׁה
gleesha

הֵאָבְקוּת סוּמוֹ
he'avkoot sumo

51

צְבָעִים
tzva'im

שָׁחֹר
shachor

כָּתֹם
katom

אָפֹר
afor

יָרֹק
yarok

אָדֹם
adom

חוּם
choom

נָרֹד
varod

לָבָן
lavan

כָּחֹל
kachol

סָגֹל
sagol

צָהֹב
tzahov

צוּרוֹת
tzoorot

מְעֻיָּן
me'ooyan

חָרוּט
charoot

מַלְבֵּן
malben

כּוֹכָב
kochav

עָגוּל
igool

קֻבִּיָּה
koobi'ya

אֶלִיפְּסָה
elipsa

מְשֻׁלָּשׁ
meshoolash

רִבּוּעַ
riboo'a

סַהֲרוֹן
saharon

52

מִסְפָּרִים

misparim

	Masculine	**F**eminine	
1	אֶחָד echad	אַחַת achat	
2	שְׁנַיִם shna'yim	שְׁתַּיִם shta'yim	
3	שְׁלוֹשָׁה shlosha	שָׁלוֹשׁ shalosh	
4	אַרְבָּעָה arba'a	אַרְבַּע arba	
5	חֲמִשָּׁה chamisha	חָמֵשׁ chamesh	
6	שִׁשָּׁה shisha	שֵׁשׁ shesh	
7	שִׁבְעָה shiv'ah	שֶׁבַע sheva	
8	שְׁמוֹנָה shmona	שְׁמוֹנֶה shmoneh	
9	תִּשְׁעָה tish'ah	תֵּשַׁע tesha	
10	עֲשָׂרָה asara	עֶשֶׂר eser	
11	אַחַד עָשָׂר achad asar	אַחַת עֶשְׂרֵה achat esreh	
12	שְׁנֵים עָשָׂר shneym asar	שְׁתֵּים עֶשְׂרֵה shtem esreh	
13	שְׁלֹשָׁה עָשָׂר shlosha asar	שְׁלֹשׁ עֶשְׂרֵה shlosh esreh	
14	אַרְבָּעָה עָשָׂר arba'a asar	אַרְבַּע עֶשְׂרֵה arba esreh	
15	חֲמִשָּׁה עָשָׂר chamisha asar	חֲמֵשׁ עֶשְׂרֵה chamesh esreh	
16	שִׁשָּׁה עָשָׂר shisha asar	שֵׁשׁ עֶשְׂרֵה shesh esreh	
17	שִׁבְעָה עָשָׂר shiv'ah asar	שְׁבַע עֶשְׂרֵה shva esreh	
18	שְׁמוֹנָה עָשָׂר shmona asar	שְׁמוֹנֶה עֶשְׂרֵה shmoneh esreh	
19	תִּשְׁעָה עָשָׂר tish'ah asar	תְּשַׁע עֶשְׂרֵה tsha esreh	
20	עֶשְׂרִים esrim	עֶשְׂרִים esrim	

הַלוּנָה פֶּרְק
ha-loona park

גַּלְגַּל עֲנָק
galgal anak

קָרוּסֶלָה
karoosela

מַחְצֶלֶת
machtzelet

מִגְדָּל שַׁעֲשׁוּעִים
migdal sha'ashoo'im

מִשְׂחֲקֵי חִשׁוּקִים
mis'chakei chishookim

רַכֶּבֶת שֵׁדִים
rakkevet shedim

פּוֹפּ קוֹרֶן
pop koren

רַכֶּבֶת הָרִים
rakkevet harim

קְלִיעָה לַמַּטָּרָה
klee'ah lamatara

מְכוֹנִיּוֹת שַׁעֲשׁוּעִים
mechoni'yot sha'ashoo'im

צֶמֶר גֶּפֶן מָתוֹק
tzemer gefen matok

הַקִּרְקָס
a-kirkas

הוֹלֵךְ עַל חֶבֶל
holech al chevel

מוֹט
mot

טְרַפֵּז
trapez

חֶבֶל מָתוּחַ
chevel matoo'ach

סֻלַּם חֲבָלִים
soolam chavalim

רֶשֶׁת בִּטָּחוֹן
reshet bitachon

לוּלְיָן עַל אוֹפַנַּיִם
lolyan al ofana'yim

שָׁפָן
shafan

אַקְרוֹבָּטִים
akrobatim

מַנְחֶה
mancheh

כֶּלֶב
kelev

חִשּׁוּק
chishook

מִגְבַּעַת
migba'at

לַהֲטוּטָן
lahatootan

עֲנִיבַת פַּרְפַּר
anivat parpar

תִּזְמֹרֶת
tizmoret

רְכִיבָה לְלֹא אֻכָּף
rechiva lelo ookaf

לֵיצָן
leytzan

Hebrew Alphabet and Word List

In the list on the opposite page you will find all the words in this book in the alphabetical order of the English words. Next to each English word is the number of the page on which it appears, and the Hebrew for that word written in Roman letters to show you how to pronounce it. The Hebrew words written in Hebrew letters are shown on the right. Remember, Hebrew is read from right to left.

Hebrew alphabet

Here are all the letters in the Hebrew alphabet. There are no capital letters in Hebrew, but five of the letters have different forms when they appear at the end of a word.

Name of letter	Hebrew letter	Sound	Pronunciation
alef	א	*a*	as in *apple*
bet	בּ	*b*	as in *bed*
vet	ב	*v*	as in *wave*
gimmel	ג	*g*	as in *goat*
gimmel im geresh	ג'	*j*	as in *jeans*
dalet	ד	*d*	as in *dog*
hey	ה	*h*	as in *house*
vav	ו	*v*	as in *van*
zayin	ז	*z*	as in *zoo*
chet	ח	*ch*	as in *loch*
tet	ט	*t*	as in *tree*
yod	י	*y*	as in *yellow*
kaf	כּ	*k*	as in *king*
chaf	כ final form: ך	*ch*	as in *loch* - but with a stronger, more throaty sound than chet
lamed	ל	*l*	as in *lemon*
mem	מ final form: ם	*m*	as in *mouse*
nun	נ final form: ן	*n*	as in *number*
samech	ס	*s*	as in *sun*
ayin	ע	*a*	as in *apple* - but a more throaty sound than alef
pey	פּ	*p*	as in *pen*
fey	פ final form: ף	*f*	as in *safe*
tzadi	צ final form: ץ	*tz*	as in *tzar*
kof	ק	*k*	as in *king* - but a stronger sound than kaf
resh	ר	*r*	as in *rose*
shin	שׁ	*sh*	as in *ship*
sin	שׂ	*s*	as in *sun*
taf	ת	*t*	as in *tree*

Vowels

In Hebrew, the vowel sounds (e.g. 'a' or 'u') are shown by dots and lines under, above or next to the letter. These are only used in books for children and beginners, and in poetry and prayer books. They are not normally used in handwriting. In the examples below, the vowel marks are shown with the letter ט tet.

Name of vowel mark	Mark	Sound	Pronunciation
kamatz	טָ		
patach	טַ	*ta*	as in *tar*
chataf patach	טֲ		
segol	טֶ		
chataf segol	טֱ	*te*	as in *ten*
tzerei	טֵ		
chiriq	טִ	*tee*	as in *tee*
cholam male	טוֹ		
cholam chaser	טֹ		
kamatz qatan	טָ	*to*	as in *torch*
chataf kamatz	טֳ		
shuruq	טוּ	*too*	as in *too*
kubutz	טֻ		
shwa	טְ	*te* (silent)	

Note: In this book a break in a word is represented by the ' sign.

58

English	Transliteration	Hebrew
doctor (m), 31	rofeh	רוֹפֵא
dog, 16, 49, 55	kelev	כֶּלֶב
dog food, 49	mazon lichlavim	מָזוֹן לִכְלָבִים
doing things, 42	asi'yat dvarim	עֲשִׂיַּת דְּבָרִים
doll's house, 14	bet boobot	בֵּית בֻּבּוֹת
dolls, 14	boobot	בֻּבּוֹת
dolphin, 18	dolfin	דוֹלְפִין
donkey, 27	chamor	חֲמוֹר
door, 6	delet	דֶּלֶת
door handle, 29	yadit	יָדִית
downstairs, 45	lemata	לְמַטָּה
drawer, 7	megera	מְגֵרָה
drawing, 28	rishoom	רִשּׁוּם
dress, 39	simla	שִׂמְלָה
drill, 10, 12	makdecha	מַקְדֵּחָה
drink, 42	lishtot	לִשְׁתּוֹת
drums, 14	toopim	תֻּפִּים
dry, 44	yavesh	יָבֵשׁ
duck, 17	barvaz	בַּרְוָז
ducklings, 17, 24	barvazonim	בַּרְוָזוֹנִים
ducks, 24	barvazim	בַּרְוָזִים
dust cloth, 7	matleet avak	מַטְלִית אָבָק
dustpan, 7	kaf ashpa	כַּף אַשְׁפָּה

E

eagle, 18	nesher	נֶשֶׁר
ears, 38	ozna'yim	אָזְנַיִם
eat, 42	le'echol	לֶאֱכֹל
eggs, 35	baytzim	בֵּיצִים
eight, 53	shmona (m), shmoneh (f)	שְׁמוֹנָה (ז), שְׁמוֹנֶה (נ)
eighteen, 53	shmona asar (m), shmoneh esreh (f)	שְׁמוֹנָה עָשָׂר (ז), שְׁמוֹנֶה עֶשְׂרֵה (נ)
elbow, 38	marpek	מַרְפֵּק
elephant, 19	pil	פִּיל
elevator, 30	ma'alit	מַעֲלִית
eleven, 53	achad asar (m), achat esreh (f)	אַחַד עָשָׂר (ז), אַחַת עֶשְׂרֵה (נ)
empty, 45	rek	רֵיק
engine (car), 20	mano'a	מָנוֹעַ
engine (train), 20	katar	קַטָּר
eraser, 28	machak	מַחַק
evening, 46	erev	עֶרֶב

F

English	Transliteration	Hebrew
face, 38	panim	פָּנִים
face paints, 15	tziv'ey ipoor	צִבְעֵי אִפּוּר
factory, 13	bet charoshet	בֵּית חֲרֹשֶׁת
fairgound, 54	loona park	לוּנָה פַּרְק
fall, 43	lipol	לִפֹּל
family, 41	mishpacha	מִשְׁפָּחָה
far, 44	rachok	רָחוֹק
farm, 24	meshek	מֶשֶׁק
farmer, 25	ikar	אִכָּר
farmhouse, 25	bet ha-ikar	בֵּית הָאִכָּר
fast, 45	maheer	מָהִיר
fat, 44	shamen	שָׁמֵן
father, 41	aba	אַבָּא
faucet, 4	berez	בֶּרֶז
feathers, 18	notzot	נוֹצוֹת
felt-tip pens, 28	etey simoon	עֵטֵי סִמּוּן
fence, 17, 25	gader	גָּדֵר
Ferris wheel, 54	galgal anak	גַּלְגַּל עֲנָק
few, 44	me'at	מְעַט
field, 25	sadeh	שָׂדֶה
fifteen, 53	chamisha asar (m), chamesh esreh (f)	חֲמִשָּׁה עָשָׂר (ז), חֲמֵשׁ עֶשְׂרֵה (נ)
fight, 43	lehitkotet	לְהִתְקוֹטֵט
file, 11	ptzira	פְּצִירָה
fingers, 38	etzba'ot	אֶצְבָּעוֹת
fire engine, 13	mechonit kibooy	מְכוֹנִית כִּבּוּי

fireman, 40	kabbai	כַּבַּאי
fireworks, 32	zikookin di noor	זִקּוּקִין דִּי נוּר
first, 44	ree'shon	רִאשׁוֹן
fish, 27	dag	דָּג
fisherman, 23	da'yag	דַּיָּג
fishing, 50	da'yig	דַּיִג
fishing boat, 27	sirat da'yig	סִירַת דַּיִג
fishing rod, 50	chaka	חַכָּה
five, 53	chamisha (m), chamesh (f)	חֲמִשָּׁה (ז), חָמֵשׁ (נ)
flag, 26	degel	דֶּגֶל
flippers, 27	snapirim	סְנַפִּירִים
flight attendant, 21	da'yal (m), da'yelet (f)	דַּיָּל (ז), דַּיֶּלֶת (נ)
floor, 29	ritzpah	רִצְפָּה
flour, 35	kemach	קֶמַח
flower bed, 17	aroogat prachim	עֲרוּגַת פְּרָחִים
flowers, 8	prachim	פְּרָחִים
fly, 11	zvoov	זְבוּב
fog, 48	arafel	עֲרָפֶל
food, 36	mazon	מָזוֹן
foot, 38	kaf regel	כַּף רֶגֶל
forest, 22	ya'ar	יַעַר
fork (garden), 9	kilshon	קִלְשׁוֹן
forks, 6	mazlegot	מַזְלֵגוֹת
four, 53	arba'a (m), arba (f)	אַרְבָּעָה (ז), אַרְבַּע (נ)
fourteen, 53	arba'a asar (m), arba esreh (f)	אַרְבָּעָה עָשָׂר (ז), אַרְבַּע עֶשְׂרֵה (נ)
fox, 22	shoo'al	שׁוּעָל
fox cubs, 23	gooray shoo'al	גּוּרֵי שׁוּעָל
freight train, 20	rakkevet massa	רַכֶּבֶת מַשָּׂא
French fries, 37	tooganim	טוּגָנִים
Friday, 46	yom sheeshi	יוֹם שִׁשִּׁי
fried egg, 36	bay'tzi'ya	בֵּיצִיָּה
frog, 16	tzfarde'a	צְפַרְדֵּעַ
frogman, 41	ish tzfarde'a	אִישׁ צְפַרְדֵּעַ
front, 45	chazit	חֲזִית
frost, 48	kfor	כְּפוֹר
fruit juice, 33	mitz perot	מִיץ פֵּרוֹת
fruits, 34	perot	פֵּרוֹת
frying pan, 7	machavat	מַחֲבַת
full, 45	ma'leh	מָלֵא

G

English	Transliteration	Hebrew
garage, 20	moosach	מוּסָךְ
garden hose, 9	tzinor hashkaya	צִנּוֹר הַשְׁקָיָה
gas, 21	delek	דֶּלֶק
gas pump, 21	mash'evat delek	מַשְׁאֵבַת דֶּלֶק
gas tanker, 21	mechalit delek	מְכָלִית דֶּלֶק
gate, 16	sha'ar	שַׁעַר
geese, 24	avazim	אֲוָזִים
giraffe, 18	jiraf	גִּ'ירָף
girl, 29	yalda	יַלְדָּה
glasses (for drinking), 6	kosot	כּוֹסוֹת
globe, 29	globoos	גְלוֹבּוּס
gloves, 39	kfafot	כְּפָפוֹת
glue, 28	devek	דֶּבֶק
goat, 19	ez	עֵז
goldfish, 49	dgey zahav	דְּגֵי זָהָב
good, 44	tov	טוֹב
gorilla, 18	gorila	גּוֹרִילָה
grandfather, 41	saba	סָבָא
grandmother, 41	savta	סָבְתָא
grapefruit, 34	eshkolit	אֶשְׁכּוֹלִית
grapes, 31	anavim	עֲנָבִים
grass, 9	esev	עֵשֶׂב
gray, 52	afor	אָפֹר
green, 52	yarok	יָרֹק
greenhouse, 9	chamama	חֲמָמָה
grocery sack, 34	sal kni'yot	סַל קְנִיּוֹת
guinea pig, 49	sharkan	שַׁרְקָן
guitar, 14	gitara	גִּיטָרָה

English	Transliteration	Hebrew
gun, 15	*roveh*	רוֹבֶה
gym, 50	*hit'amloot*	הִתְעַמְּלוֹת

H

English	Transliteration	Hebrew
hair, 38	*se'ar*	שֵׂעָר
hall, 5	*kni'sa*	כְּנִיסָה
hamburger, 37	*hamboorger*	הַמְבּוּרְגֶּר
hammer, 11	*patish*	פַּטִּישׁ
hamster, 49	*oger*	אוֹגֵר
hand, 38	*kaf yad*	כַּף יָד
handkerchief, 39	*mimchata*	מִמְחָטָה
hang-gliding, 51	*gleeshat aveer*	גְּלִישַׁת אֲוִיר
hard, 45	*mootzak*	מוּצָק
harmonica, 14	*mapoochit peh*	מַפּוּחִית פֶּה
hat, 39	*kova*	כּוֹבַע
hay, 25	*shachat*	שַׁחַת
hayloft, 24	*aliyat gag*	עֲלִיַּת גַּג
haystack, 24	*arremat shachat*	עֲרֵמַת שַׁחַת
head, 38	*rosh*	רֹאשׁ
headlights, 20	*panasim kidmi'yim*	פָּנָסִים קִדְמִיִּים
hedge, 9	*gader cha'ya*	גָּדֵר חַיָּה
hedgehog, 22	*kipod*	קִפּוֹד
helicopter, 20	*masok*	מָסוֹק
helmet, 51	*kasda*	קַסְדָּה
hen house, 24	*lool*	לוּל
hens, 25	*tarnegolot*	תַּרְנְגוֹלוֹת
hide, 43	*lehitchabeh*	לְהִתְחַבֵּא
high, 45	*gavo'ha*	גָּבוֹהַּ
hill, 23	*giv'a*	גִּבְעָה
hippopotamus, 18	*soos ye'or*	סוּס יְאוֹר
hoe, 8	*ma'ader*	מַעְדֵּר
hole, 12	*bor*	בּוֹר
home, 4	*ba'yit*	בַּיִת
honey, 36	*dvash*	דְּבַשׁ
hood (car), 21	*michseh mano'a*	מִכְסֶה מָנוֹעַ
hoop, 55	*chishook*	חִשּׁוּק
horse, 25, 51	*soos*	סוּס
hospital, 30	*bet holim*	בֵּית חוֹלִים
hot, 44	*cham*	חַם
hot chocolate, 36	*shoko cham*	שׁוֹקוֹ חַם
hot-air balloon, 22	*kadoor po're'ach*	כַּדּוּר פּוֹרֵחַ
hotel, 12	*bet malon*	בֵּית מָלוֹן
house, 13	*ba'yit*	בַּיִת
husband, 41	*ba'al*	בַּעַל

I

English	Transliteration	Hebrew
ice cream, 16	*glida*	גְּלִידָה
ice skates, 51	*machlika'yim*	מַחֲלִיקַיִם
iceberg, 18	*karchon*	קַרְחוֹן
ice-skating, 51	*hachlaka al kerach*	הַחְלָקָה עַל קֶרַח
in, 45	*beefnim*	בִּפְנִים
iron, 7	*mag'hetz*	מַגְהֵץ
ironing board, 6	*keresh geehootz*	קֶרֶשׁ גִּהוּץ
island, 26	*ee*	אִי

J

English	Transliteration	Hebrew
jacket, 39	*jaket*	זַ׳קֵט
jam, 36	*reeba*	רִבָּה
jars, 11, 35	*tzintzanot*	צִנְצָנוֹת
jeans, 39	*michnasay jeans*	מִכְנְסֵי גִּ׳ינְס
jigsaw, 30	*pazel*	פָּזֵל
jogging, 51	*ritza kala*	רִיצָה קַלָּה
judge, 40	*shofet*	שׁוֹפֵט
judo, 51	*judo*	גִּ׳ודוֹ
juggler, 55	*lahatootan*	לַהֲטוּטָן
jump, 42	*likpotz*	לִקְפֹּץ
jump-rope, 17	*dalgeet*	דַּלְגִּית

K

English	Transliteration	Hebrew
kangaroo, 18	*kengooroo*	קֶנְגּוּרוּ
karate, 50	*karateh*	קָרָטֶה
kayak, 27	*doogit*	דּוּגִית
kennel, 49	*mloona*	מְלוּנָה
kettle, 7	*koomkoom*	קוּמְקוּם
key, 6	*mafte'ach*	מַפְתֵּחַ
kitchen, 6	*mitbach*	מִטְבָּח
kite, 16	*afifon*	עֲפִיפוֹן
kitten, 49	*chataltool*	חֲתַלְתּוּל
knee, 38	*berech*	בֶּרֶךְ
knit, 42	*lisrog*	לִסְרֹג
knives, 7	*sakinim*	סַכִּינִים

L

English	Transliteration	Hebrew
ladder, 9, 10	*soolam*	סֻלָּם
ladybug, 8	*parat mosheh rabenoo*	פָּרַת מֹשֶׁה רַבֵּנוּ
lake, 16	*agam*	אֲגַם
lambs, 24	*tla'yim*	טְלָיִים
lamp, 5, 29	*menorah*	מְנוֹרָה
lamp post, 13	*panas rechov*	פָּנָס רְחוֹב
last, 44	*acharon*	אַחֲרוֹן
laugh, 42	*litzchok*	לִצְחֹק
laundry detergent, 6	*avkat kvisa*	אַבְקַת כְּבִיסָה
lawn mower, 9	*maksecha*	מַכְסֵחָה
leash, 17	*retzoo'ah lechelev*	רְצוּעָה לְכֶלֶב
leaves, 9	*alim*	עָלִים
leek, 34	*kresha*	כְּרֵשָׁה
left, 44	*smol*	שְׂמֹאל
leg, 38	*regel*	רֶגֶל
lemon, 34	*leemon*	לִימוֹן
leopard, 19	*namer*	נָמֵר
letters, 5	*michtavim*	מִכְתָּבִים
lettuce, 34	*chasa*	חַסָּה
light switch, 6	*meteg*	מֶתֶג
lighthouse, 26	*migdalor*	מִגְדַּלּוֹר
lightning, 48	*barak*	בָּרָק
lion, 18	*aryeh*	אַרְיֵה
lips, 38	*sfata'yim*	שְׂפָתַיִם
listen, 42	*lehakshiv*	לְהַקְשִׁיב
living room, 4	*chadar orchim*	חֲדַר אוֹרְחִים
lizard, 22	*leta'ah*	לְטָאָה
lock, 22	*delet secher*	דֶּלֶת סֶכֶר
locker, 51	*ta*	תָּא
logs, 23	*boolay etz*	בּוּלֵי עֵץ
long, 45	*aroch*	אָרֹךְ
low, 45	*namooch*	נָמוּךְ
lunch, 36	*aroochat tzo'hora'yim*	אֲרוּחַת צָהֳרַיִם

M

English	Transliteration	Hebrew
mail carrier, 41	*davar*	דַּוָּר
make, 42	*la'asot*	לַעֲשׂוֹת
man, 12	*ish*	אִישׁ
many, 44	*harbeh*	הַרְבֵּה
map, 29	*mapa*	מַפָּה
marbles, 15	*goolot*	גֻּלּוֹת
market, 13	*shook*	שׁוּק
mashed potatoes, 37	*mechit tapoochey adama*	מְחִית תַּפּוּחֵי אֲדָמָה
masks, 15	*massechot*	מַסֵּכוֹת
mat, 54	*machtzelet*	מַחְצֶלֶת
matches, 7	*gafroorim*	גַּפְרוּרִים
me, 38	*anee*	אֲנִי
meat, 35, 37	*basar*	בָּשָׂר
mechanic, 40	*mechonai (m), mechona'it (f)*	מְכוֹנַאי, מְכוֹנָאִית
medicine, 30	*troofa*	תְּרוּפָה
melon, 34	*melon*	מֶלוֹן
merry-go-round, 54	*karoosela*	קָרוּסֶלָה
milk, 36, 49	*chalav*	חָלָב
mirror, 5	*mar'ah*	מַרְאָה
mist, 48	*arpilim*	עֲרְפִלִּים

62

63

trumpet, 14	*chatzotzra*	חֲצוֹצְרָה
trunk (elephant's), 19	*chedek*	חֵדֶק
trunk (car), 21	*ta mit'an*	תָּא מִטְעָן
T-shirt, 39	*chooltzat triko*	חֻלְצַת טְרִיקוֹ
Tuesday, 46	*yom shlishi*	יוֹם שְׁלִישִׁי
tummy, 38	*beten*	בֶּטֶן
tunnel, 23	*minhara*	מִנְהָרָה
turkeys, 25	*tarnegolay hodoo*	תַּרְנְגוֹלֵי הֹדוּ
twelve, 53	*shneym asar (m), shtem esreh (f)*	שְׁנֵים עָשָׂר (ז), שְׁתֵּים עֶשְׂרֵה (נ)
twenty, 53	*esrim*	עֶשְׂרִים
two, 53	*shna'yim (m), shta'yim (f)*	שְׁנַיִם (ז), שְׁתַּיִם (נ)

U

umbrella, 48	*mitri'ya*	מִטְרִיָּה
umbrella (beach), 26	*sochech*	סוֹכֵךְ
uncle, 41	*dod*	דּוֹד
under, 44	*mitachat*	מִתַּחַת
underpants, 39	*tachtonim*	תַּחְתּוֹנִים
unicyclist, 55	*loolyan al ofana'yim*	לוּלְיָן עַל אוֹפַנַּיִם
upstairs, 45	*lema'ala*	לְמַעְלָה

V

vacation, 47	*choofsha*	חֻפְשָׁה
vacuum cleaner, 6	*sho'ev avak*	שׁוֹאֵב אָבָק
van, 13	*mechonit mischarit*	מְכוֹנִית מִסְחָרִית
vegetables, 34	*yerakot*	יְרָקוֹת
vest, 39	*goofi'ya*	גּוּפִיָּה
vet, 49	*veterinar*	וֶטֶרִינָר
video, 5	*kaletet video*	קַלֶּטֶת וִידֵאוֹ
vise, 10	*melchatza'yim*	מֶלְחָצַיִם

W

wait, 43	*lechakot*	לְחַכּוֹת
waiter, 41	*meltzar*	מֶלְצַר
waiting room, 31	*chadar hamtana*	חֲדַר הַמְתָּנָה
waitress, 41	*meltzarit*	מֶלְצָרִית
walk, 43	*lalechet*	לָלֶכֶת
walking stick, 31	*makel halicha*	מַקֵּל הֲלִיכָה
wall, 29	*kir*	קִיר
wash, 42	*lehitrachetz*	לְהִתְרַחֵץ
washing machine, 7	*mechonat kvisa*	מְכוֹנַת כְּבִיסָה
wasp, 8	*tzir'ah*	צִרְעָה
wastepaper basket, 29	*sal neyarot*	סַל נְיָרוֹת
watch, 43	*lehistakel*	לְהִסְתַּכֵּל
watch (wrist), 30	*sh'on yad*	שְׁעוֹן יָד
water, 4	*ma'yim*	מַיִם
water-skiing, 26	*ski ma'yim*	סְקִי מַיִם
watercolors, 15	*tziv'ey ma'yim*	צִבְעֵי מַיִם
waterfall, 23	*mappal ma'yim*	מַפַּל מַיִם
watering can, 8	*mazlef*	מַזְלֵף
waves, 27	*galim*	גַּלִּים
weather, 48	*mezeg aveer*	מֶזֶג אֲוִיר
wedding, 47	*chatoona*	חֲתֻנָּה
Wednesday, 46	*yom revi'ee*	יוֹם רְבִיעִי
wet, 44	*ratov*	רָטֹב
whale, 19	*livyatan*	לִוְיָתָן
wheel, 20	*galgal*	גַּלְגַּל
wheelbarrow, 8	*meritza*	מְרִיצָה
wheelchair, 30	*kiseh galgalim*	כִּסֵּא גַּלְגַּלִּים
whistle, 14	*mashrokit*	מַשְׁרוֹקִית
white, 52	*lavan*	לָבָן
wife, 13, 41	*isha*	אִשָּׁה
wind, 48	*roo'ach*	רוּחַ
windmill, 22	*tachanat roo'ach*	טַחֲנַת רוּחַ
window, 32	*chalon*	חַלּוֹן
windsurfing, 50	*gleeshat roo'ach*	גְּלִישַׁת רוּחַ
wing, 18	*kanaf*	כָּנָף
winter, 48	*choref*	חֹרֶף

wolf, 18	*ze'ev*	זְאֵב
woman, 41	*isha*	אִשָּׁה
wood, 11	*atzey hasaka*	עֲצֵי הַסָּקָה
workbench, 11	*shoolchan avoda*	שֻׁלְחָן עֲבוֹדָה
workshop, 10	*bet mlacha*	בֵּית מְלָאכָה
worm, 8	*tola'at*	תּוֹלַעַת
wrench, 21	*mafte'ach bragim*	מַפְתֵּחַ בְּרָגִים
write, 42	*lichtov*	לִכְתֹּב

Y

yard, 8	*gina*	גִּנָּה
yellow, 52	*tzahov*	צָהֹב
yogurt, 35	*yogoort*	יוֹגוּרְט

Z

zebra, 19	*zebra*	זֶבְּרָה
zipper, 39	*roochsan*	רוֹכְסָן
zoo, 18	*gan cha'yot*	גַּן חַיּוֹת

First published in 2004 by Usborne Publishing Ltd, Usborne House, 83-85 Saffron Hill, London EC1N 8RT, England. www.usborne.com. Based on a previous title first published in 1979 and revised in 1995. Copyright © 2003, 1995, 1979 Usborne Publishing Ltd. This American edition published in 2004. AE

The name Usborne and the devices 🏆 and 🎈 are Trade Marks of Usborne Publishing Ltd. All rights reserved. No part of this publication may be reproduced, stored in a retrieval system or transmitted in an form or by any means, electronic, mechanical, photocopying, recording or otherwise, without the prior permission of the publisher.

Printed in Italy.